帕利努罗 1932 年

船失事 1932 年

学习“从安特那飞来” 1938年

在乡村的处决 1938 年

学习“从安特那飞来” 1938～39年

从安特那飞来 1938～39 年

家庭 1940年

纽克莱尔 1974 年

裸女 1980 年

讨论 1919～60年

画室一角 1961 年

怀赖特之夜 1980 年

废车场 1979年

(接前) 80年代以后，古图索的画面已转向室内和风景。这是他的回忆和真实内心。画中的形象分解以后又重新组合，成为了谜语、难题、余数和新的未知数。正如他曾经受到米开朗基罗、丢勒、卡拉瓦乔的强大想象力影响一样，此时又受到毕加索和基里科的影响。在毕加索逝世那年，古图索为他画了几幅画，表达对友人的缅怀之情。《希腊咖啡馆》描绘了基里科的形象，《富意》追忆了波提切利、达·芬奇、卡拉瓦乔、毕加索和基里科，以及他们笔下的那些人物形象，色彩交替使用了效果难以解释的单色和复色，以使画面富有极强的感染力。

在古图索一生的艺术创作中，那些自然场景和人物形象，从未被照相似地摄入画布，而是经过智慧的过滤；在被收入画布同一时刻，才成形和展现。他从不以带有偏见的形式为出发点。即使在表现主义和立体主义最盛行的时候，他仍是在形象成形的时刻，从中提炼风格，而不会把风格强加给形象。古图索的基本经验是重新发现了立体主义。在他绘画中出现立体主义的时候，立体主义早已消亡，古图索重新发掘和掌握了立体主义的空间感。他不模仿因袭，而是夸张和表现，通过平面的拼接对空间进行大割大切。他不象为变形而变形的表现主义，而是表现了对概括、直接和简洁的语言内在的联系进行处理的勇气。古图索也不再属于立体主义，他更新了绘画语言的历史。

古图索
出版：湖南美术出版社出版·发行
地址：长沙市人民中路103号
经销：湖南省新华书店
印制：湖南彩印厂
版次：1999年9月第1版
印次：1999年9月第1次印刷
开本：889 × 1194 1/16
印数：1-3000册
书号：ISBN 7-5356-1223-7/J·1143
定价：10.00元

策划：张　卫
萧沛苍
李路明
主编：张　卫
责编：张　卫
设计：张　卫
制作：京　昌
撰文：章　未
翻译：张　卫

有卷心菜的马车 1973

ISBN 7-5356-1223-7

定价：10.00 元